Hello French!

French-English

Picture Dictionary

D0588482

Table des matières   Contents

2	**les nombres** *numbers*	
3	**les saisons** *seasons*	
4	**la maison** *house*	
5	**le jardin** *garden*	
6	**la cuisine** *kitchen*	
7	**le salon** *living room*	
8	**la salle de bains** *bathroom*	
9	**la chambre** *bedroom*	
10	**la ville** *town*	
11	**les véhicules** *vehicles*	
12	**le supermarché** *supermarket*	
13	**les courses** *shopping*	
14	**les fruits** *fruit*	
15	**les légumes** *vegetables*	
16	**le parc** *park*	

17	**le sport** *sport*	
18	**la forêt** *forest*	
19	**le temps** *weather*	
20-21	**les contraires** *opposites*	
22	**les formes** *shapes*	
23	**la piscine** *swimming pool*	
24	**la bibliothèque** *library*	
25	**les histoires** *stories*	
26	**sur mon bureau** *on my desk*	
27	**la salle de classe** *classroom*	
28-29	**le corps** *body*	
30	**les actions** *actions*	
31	**le terrain de jeu** *playground*	
32	**la fête** *party*	

33	**les vêtements** *clothes*	
34	**le zoo** *zoo*	
35	**le monde sous-marin** *under the sea*	
36-37	**la plage** *beach*	
38	**la ferme** *farm*	
39	**les animaux de ferme** *farm animals*	
40	**se décrire** *describing yourself*	
41	**ma famille** *my family*	
42-47	**le vocabulaire** *word list*	

numbers

1 un
ahn
one

2 deux
der
two

3 trois
trwah
three

4 quatre
katr'
four

5 cinq
sank
five

6 six
seess
six

7 sept
set
seven

8 huit
weet
eight

9 neuf
nerf
nine

10 dix
deess
ten

11 onze
onz
eleven

12 douze
dooz
twelve

13 treize
trez
thirteen

14 quatorze
kat-orz
fourteen

15 quinze
kanz
fifteen

16 seize
sez
sixteen

17 dix-sept
dees-set
seventeen

18 dix-huit
dees-weet
eighteen

19 dix-neuf
dees-nerf
nineteen

20 vingt
va(n)
twenty

seasons

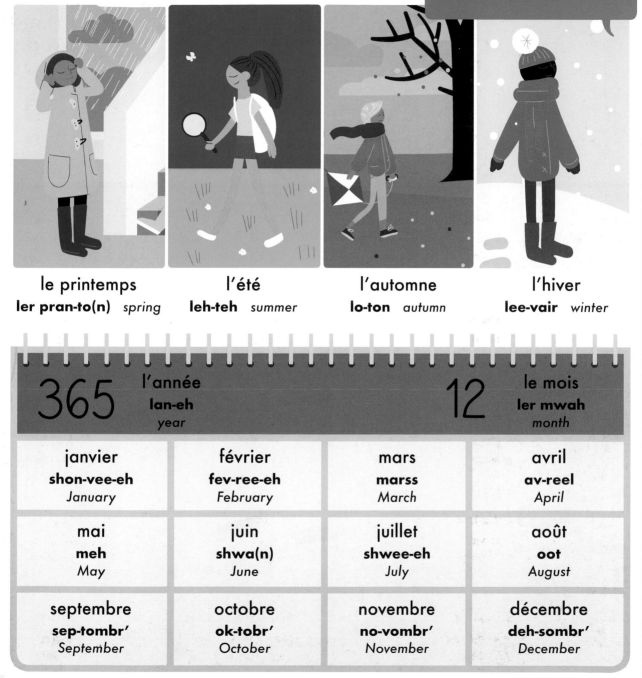

le printemps
ler pran-to(n) *spring*

l'été
leh-teh *summer*

l'automne
lo-ton *autumn*

l'hiver
lee-vair *winter*

365 l'année
lan-eh
year

12 le mois
ler mwah
month

janvier	février	mars	avril
shon-vee-eh	**fev-ree-eh**	**marss**	**av-reel**
January	*February*	*March*	*April*
mai	juin	juillet	août
meh	**shwa(n)**	**shwee-eh**	**oot**
May	*June*	*July*	*August*
septembre	octobre	novembre	décembre
sep-tombr'	**ok-tobr'**	**no-vombr'**	**deh-sombr'**
September	*October*	*November*	*December*

3

at home

le toit
ler twah *roof*

le garage
ler garah-sh *garage*

la cheminée
ler sheh-mee-neh *chimney*

la fenêtre
la f'net-tr *window*

la porte
la port *door*

la poubelle
la poo-bel *bin*

l'échelle
leh-shel *ladder*

le ballon
ler balo(n) *ball*

le chemin
ler sheh-ma(n) *path*

in the garden

le nid
ler nee *nest*

l'arbre
larbr' *tree*

la clôture
la klot-yoor *fence*

le tuyau d'arrosage
ler twee-yo da-roh-saj
hose pipe

l'herbe
lairb *grass*

le ver de terre
ler vair der tair *worm*

la fleur
la fler *flower*

le portail
ler poor-tay *gate*

la haie
la eh *hedge*

kitchen

le frigo
ler free-goh *fridge*

le couteau
ler koot-o *knife*

le four
ler foor *oven*

le placard
ler plak-ar *cupboard*

la cuillère
la kwee-yair *spoon*

l'évier
leh-vee-eh *sink*

la fourchette
la foor-shet *fork*

la tasse de thé
la tass der teh *cup of tea*

le café
ler kaf-eh *coffee*

living room

le salon
ler sal-o(n)

le téléphone
ler teh-leh-fon *telephone*

l'escalier
less-kalee-eh *stairs*

le canapé
ler kanap-eh *sofa*

le coussin
ler kooss-a(n) *cushion*

la télévision
la teh-leh-veezee-o(n) *television*

la console
la konsol *games console*

le plafond
ler plaf-o(n) *ceiling*

le fauteuil
ler fo-tuh-yee *armchair*

le plancher
ler plon-sheh *floor*

7

bathroom

la douche
la doosh *shower*

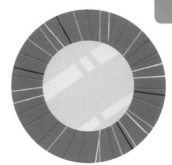

le miroir
ler meer-war *mirror*

le lavabo
ler lavaboh *sink*

le dentifrice
ler dontee-freess *toothpaste*

le savon
ler savo(n) *soap*

les toilettes
leh twah-let *toilet*

la brosse à dents
la bross ah do(n) *toothbrush*

la serviette
la sairvee-et *towel*

la baignoire
la bayn-wah *bath*

8

bedroom

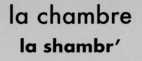

la chambre
la shambr'

la commode
la koh-mod   *chest of drawers*

l'armoire
larm-wah   *wardrobe*

le lit
ler lee   *bed*

le poster
ler poss-tair   *poster*

la poupée
la poo-peh   *doll*

l'ours en peluche
loors o(n) pe-loosh   *teddy bear*

les rideaux
leh ree-doh   *curtains*

le tapis
ler tap-ee   *rug*

le réveil
ler reh-vay   *alarm clock*

town

la ville
la veel

l'église
leg-leez *church*

la synagogue
la see-na-gog *synagogue*

le cinéma
ler seenem-a *cinema*

la mosquée
la moskeh *mosque*

la gare
la gaar *train station*

la poste
la post *post office*

la mairie
la mair-ee *town hall*

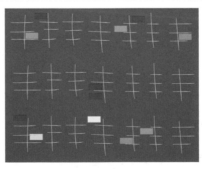

le parking
ler parkeeng *car park*

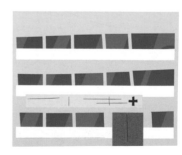

l'hôpital
lopee-tal *hospital*

10

vehicles

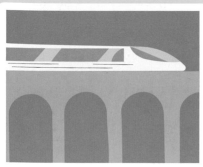

le train
ler tra(n) *train*

la moto
la moh-toh *motorbike*

l'avion
lavee-o(n) *aeroplane*

le camion de pompiers
ler kamee-o(n) der pomp-ee-eh
fire engine

la voiture de police
la vwat-yoor der poleess
police car

l'ambulance
lamboo-lonss *ambulance*

la voiture
la vwat-yoor *car*

le taxi
ler tax-ee *taxi*

le bus
ler booss *bus*

supermarket

la poissonnerie
la pwah-son-airee
fishmonger

la boucherie
la booshair-ee
butcher

l'argent
larsho(n) *money*

le chariot
ler shar-ee-o
shopping trolley

le panier
ler panee-eh
shopping basket

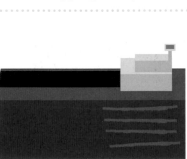

le sac à provisions
ler sak ah proveez-yo(n)
shopping bag

la caisse
la kess *till*

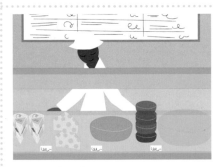

la fromagerie
la fromah-shair-ee
cheesemonger

la boulangerie
la boo-lonsh-airee
bakery

shopping

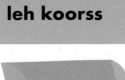

le lait
ler leh *milk*

le riz
ler ree *rice*

les œufs
lez er *eggs*

la viande
la vee-ond *meat*

le fromage
ler fromah-sh *cheese*

le beurre
ler ber *butter*

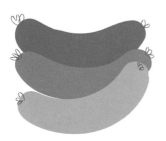

les saucisses
leh soh-seess *sausages*

les pâtes
leh pat *pasta*

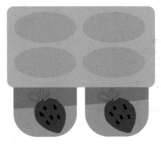

le yaourt
ler ya-oort *yoghurt*

fruit

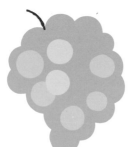

la pomme
la pom *apple*

l'abricot
lab-ree-koh *apricot*

l'orange
loronsh *orange*

le raisin
ler reh-za(n) *grapes*

la fraise
la frez *strawberry*

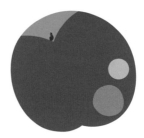

la framboise
la frombwaz *raspberry*

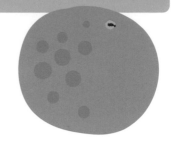

la banane
la banan *banana*

la poire
la pwar *pear*

la pêche
la pesh *peach*

14

vegetables

la tomate
la tom-at *tomato*

le brocoli
ler brok-o-lee *broccoli*

la carotte
la kah-rot *carrot*

les haricots verts
leh ar-ee-ko vair *green beans*

la courgette
la koor-shet *courgette*

le céleri
ler sel-airee *celery*

le maïs
ler my-eess *sweetcorn*

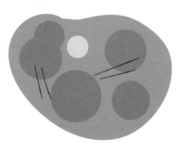

la pomme de terre
la pom der tair *potato*

la laitue
la lay-too *lettuce*

park

le parc
ler park

le lac
ler lak *lake*

le pont
ler po(n) *bridge*

le canard
ler kan-ar *duck*

le banc
ler bo(n) *bench*

le cygne
ler seen-y' *swan*

le cerf-volant
ler sair-volo(n) *kite*

la rivière
la reevee-air *river*

le chien
ler shee-ya(n) *dog*

la glace
la glas *ice cream*

sport

le skate
ler skate *skateboard*

le football
ler foot-bol *football*

le tennis
ler ten-eess *tennis*

la course à pied
la koorss ah pee-eh *running*

le basket
ler bass-ket *basketball*

le baseball
ler baiss-bal *baseball*

le vélo
ler vailo *bicycle*

le rugby
ler roog-bee *rugby*

la gymnastique
la sheem-nass-teek
gymnastics

in the forest

la souris
la soo-ree *mouse*

le hérisson
ler air-ee-so(n) *hedgehog*

le hibou
ler ee-boo *owl*

la chenille
la sher-nee *caterpillar*

le renard
ler ren-ar *fox*

l'écureuil
lek-oo-ray *squirrel*

l'oiseau
lwah-zo *bird*

le cerf
ler sair *deer*

le scarabée
ler skah-ra-beh *beetle*

weather

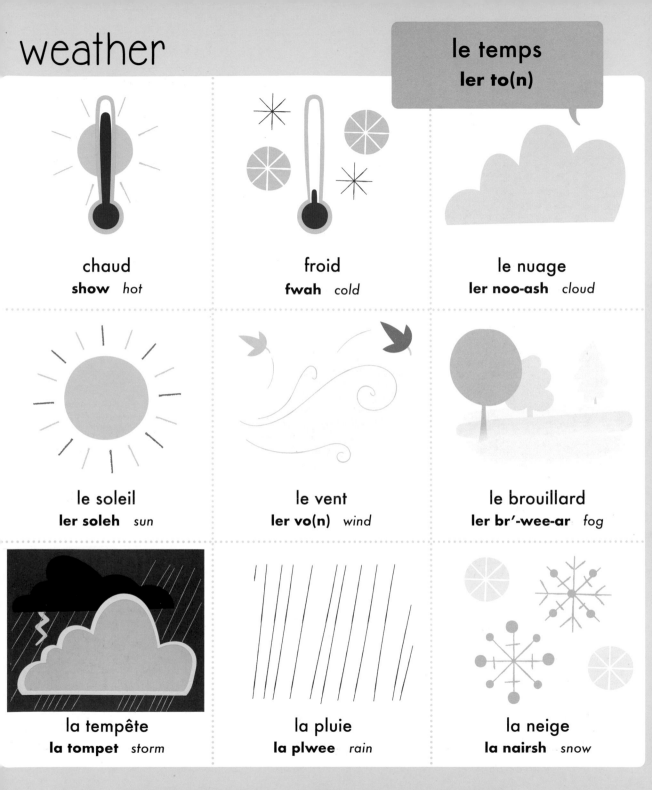

chaud
show *hot*

froid
fwah *cold*

le nuage
ler noo-ash *cloud*

le soleil
ler soleh *sun*

le vent
ler vo(n) *wind*

le brouillard
ler br'-wee-ar *fog*

la tempête
la tompet *storm*

la pluie
la plwee *rain*

la neige
la nairsh *snow*

opposites

grand
gro(n) *big*

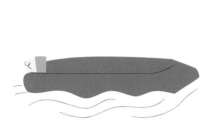

petit
pet-ee *small*

sur
s-yoor *on top*

en haut
on oh *high up*

à l'intérieur
ah lanteh-reor *inside*

sous
soo *under*

en bas
o(n) bah *low down*

à l'extérieur
ah lexteh-reor *outside*

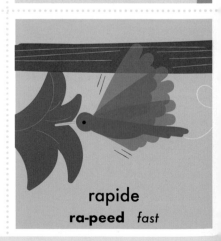

rapide
ra-peed *fast*

20

leh kontrair

vieux/vieille
vee-yer/vee-yay *old*

en désordre
on deh-sordr' *messy*

bien rangé/rangée
bee-a(n) ronsheh *tidy*

jeune
shern *young*

lourd/lourde
loor/loord *heavy*

léger/légère
lesh-eh/lesh-air *light*

lent/lente
lo(n)/lont *slow*

sale
sal *dirty*

propre
propr' *clean*

21

shapes

le rectangle
ler rec-tongl' *rectangle*

le losange
ler loz-onsh *rhombus*

l'étoile
let-wal *star*

l'hexagone
lexagon *hexagon*

le pentagone
ler pentagon *pentagon*

l'ovale
low-val *oval*

le cercle
ler sairkl' *circle*

le triangle
ler tree-ongl' *triangle*

le carré
ler ka-reh *square*

swimming pool

le maillot de bain
ler my-yo der ba(n)
swimming costume

le bonnet de bain
ler bonneh der ba(n)
swimming cap

les lunettes de natation
leh loo-net der natassee-yo(n)
swimming goggles

le plongeoir
ler plo(n)-shwar   *diving board*

le shampooing
ler shom-poo-a(n)   *shampoo*

je nage
sher nah-sh   *I am swimming*

le maître-nageur
ler maitr' nash-err   *lifeguard*

la natation
la natassee-yo(n)   *swimming*

les brassards
leh brass-ar   *armbands*

library

il était une fois
eel etet-yoon fwah
once upon a time

le/la bibliothécaire
ler/la beeblee-oh-tek-air
librarian

l'album illustré
lalbum eel-oo-streh
picture book

la bande dessinée
la bond dess-ee-neh
comic

l'heure des histoires
lerr dez eestwaar
storytime

le costume
ler koss-toom   *costume*

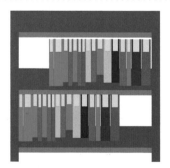

l'étagère
letashair   *shelf*

le pouf
ler poof   *beanbag*

l'ordinateur
lordeenat-err   *computer*

stories

le pirate
ler peerat *pirate*

le château
ler shat-o *castle*

la sirène
la see-ren *mermaid*

la fée
la feh *fairy*

la sorcière
la sorsee-air *witch*

la licorne
la leekorn *unicorn*

la princesse
la pra(n)-sess *princess*

le chevalier
ler sher-valee-yeh *knight*

le dragon
ler drago(n) *dragon*

on my desk

le cahier
ler kah-ee-yeh *notebook*

la règle
la regl' *ruler*

le stylo
ler steelo *pen*

le papier
ler pap-ee-eh *paper*

la peinture
la pant-yoor *paints*

la trousse
la trooss *pencil case*

le crayon de couleur
ler kray-o(n) der kool-err
colouring pencil

les ciseaux
leh seezo *scissors*

la colle
la kol *glue*

classroom

le maître
ler metr' *teacher (man)*

la maîtresse
la met-ress *teacher (woman)*

la pendule
la pond-yule *clock*

l'alphabet
lalfabeh *alphabet*

le livre
ler leevr' *book*

la chaise
la shez *chair*

écoutez !
ekooteh *listen!*

regardez !
regardeh *look!*

le tableau blanc
ler tab-loh blo(n)
whiteboard

body

le nez
ler neh *nose*

le bras
ler brah *arm*

la tête
la tet *head*

la bouche
la boosh *mouth*

la jambe
la shahmb *leg*

la main
la ma(n) *hand*

l'épaule
leh-pol *shoulder*

les genoux
leh sher-noo *knees*

le pied
ler pee-eh *foot*

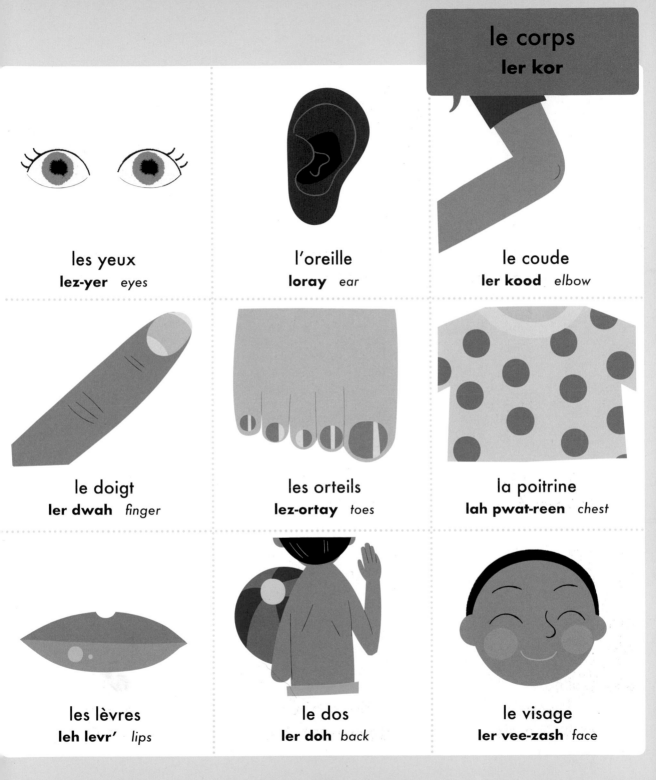

les yeux
lez-yer *eyes*

l'oreille
loray *ear*

le coude
ler kood *elbow*

le doigt
ler dwah *finger*

les orteils
lez-ortay *toes*

la poitrine
lah pwat-reen *chest*

les lèvres
leh levr' *lips*

le dos
ler doh *back*

le visage
ler vee-zash *face*

actions

grimper
grampeh *climbing*

sauter à la corde
so-teh ah la kord *skipping*

pousser
poosseh *pushing*

sauter
so-teh *jumping*

serrer dans ses bras
serreh do(n) seh bra *hugging*

tirer
teereh *pulling*

courir
kooreer *running*

lancer
lo(n)-seh *throwing*

danser
do(n)-seh *dancing*

playground

la pataugeoire
la pato-shwar *paddling pool*

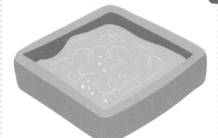

le bac à sable
ler bak ah sah-bl' *sand pit*

le tourniquet
ler toor-nee-keh *roundabout*

la balançoire à bascule
la balo(n)-swah ah baskool
see-saw

le toboggan
ler tob-o-go(n) *slide*

la balançoire
la balo(n)-swah *swing*

la structure à grimper
la strookt-yoor ah gramp-eh
climbing frame

le garçon
ler garso(n) *boy*

la fille
la fee *girl*

party

le gâteau d'anniversaire
ler gat-o danee-vairsair
birthday cake

la limonade
la leemonad *lemonade*

la glace à l'eau
la glass ah lo *ice lolly*

la pizza
la peet-sa *pizza*

le milkshake
ler milkshake *milkshake*

le biscuit
ler bees-kwee *biscuit*

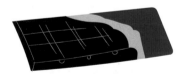

le chocolat
ler shoko-la *chocolate*

les bonbons
leh bo(n)-bo(n) *sweets*

le sandwich
ler sondweech *sandwich*

clothes

la jupe
la shoop *skirt*

la robe
la rob *dress*

le chapeau
ler shap-o *hat*

le manteau
ler mont-o *coat*

la chemise
la sh'meez *shirt*

le pyjama
ler peeshah-ma *pyjamas*

les chaussures
leh showss-yoor *shoes*

les chaussettes
leh show-sset *socks*

le pantalon
ler ponta-lo(n) *trousers*

ZOO

le lion
ler lee-yo(n) *lion*

l'hippopotame
leepo-potam *hippopotamus*

l'ours
loors *bear*

l'éléphant
leleh-fo(n) *elephant*

la gazelle
la gazel *gazelle*

la girafe
la shee-raf *giraffe*

le rhinocéros
ler ree-noss-eh-ross
rhinoceros

le crocodile
ler krokodeel *crocodile*

le serpent
ler sair-po(n) *snake*

under the sea

le plongeur/
la plongeuse
ler plonsh-er/la plonsh-erz
diver (man/woman)

la pieuvre
la pee-ervr' *octopus*

le dauphin
ler doh-fa(n) *dolphin*

le corail
ler korah-ee *coral*

le naufrage
ler no-frah-sh *shipwreck*

le poisson
ler pwah-so(n) *fish*

la baleine
la bal-en *whale*

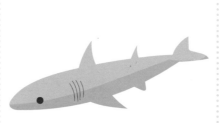

le requin
ler reka(n) *shark*

le homard
ler o-mar *lobster*

beach

la mer
la mair *sea*

le phare
ler far *lighthouse*

le sable
ler sah-bl' *sand*

la crème solaire
la krem sol-air *sun cream*

la pelle
la pel *spade*

le coquillage
ler kok-ee-ah-sh *seashell*

le seau
ler so *bucket*

le sac de plage
ler sak der plah-sh *beachbag*

les algues
leh zalg *seaweed*

le rocher
ler rosheh *rock*

le parasol
ler parasol *beach umbrella*

la vague
la vah-g *wave*

la mouette
la moo-et *seagull*

le ciel
ler see-el *sky*

le bateau
ler bat-o *boat*

la planche de surf
la pla(n)-sh der surf
surfboard

le château de sable
ler shat-o der sah-bl'
sand castle

le crabe
ler krab *crab*

farm

le champ
ler sho(n) *field*

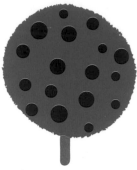

le pommier
ler pom-ee-eh *apple tree*

la grange
la gronsh *barn*

le fermier
ler fairm-ee-eh *farmer (man)*

la fermière
la fairm-ee-yair *farmer (woman)*

le poulailler
ler pool-ah-yeh *henhouse*

le foin
ler fwa(n) *hay*

l'épouvantail
lep-oovon-tah-ee *scarecrow*

le tracteur
ler trak-ter *tractor*

38

farm animals

l'âne
lan *donkey*

le cheval
ler sh'val *horse*

le chat
ler shah *cat*

le mouton
ler moo-to(n) *sheep*

le cochon
ler kosh-o(n) *pig*

la vache
la vash *cow*

le lapin
ler lapa(n) *rabbit*

la chèvre
la shevr' *goat*

la poule
la pool *chicken*

describing yourself

les cheveux bruns
leh sher-ver bru(n) *brown hair*

les cheveux roux
leh sher-ver roo *red hair*

les yeux marron
lez-yer maro(n) *brown eyes*

les cheveux blonds
leh sher-ver blo(n) *blonde hair*

les yeux bleus
lez-yer bl' *blue eyes*

les cheveux longs
leh sher-ver lo(n) *long hair*

les cheveux raides
leh sher-ver red *straight hair*

les cheveux bouclés
leh sher-ver boo-kleh *curly hair*

les cheveux courts
leh sher-ver koor *short hair*

family

mon grand-père
mo(n) gro(n)-pair
my grandfather

ma grand-mère
ma gro(n)-mair
my grandmother

mon oncle
mononkl'   *my uncle*

ma tante
ma tont   *my aunt*

ma mère
ma mair   *my mother*

mon père
mo(n) pair   *my father*

ma sœur
ma sir   *my sister*

mon frère
mo(n) frair   *my brother*

mes cousins/mes cousines
meh kooza(n)/meh koozeen
my cousins

English to French

A

aeroplane	l'avion
alarm clock	le réveil
alphabet	l'alphabet
ambulance	l'ambulance
apple	la pomme
apple juice	le jus de pomme
apple tree	le pommier
apricot	l'abricot
April	avril
arm	le bras
armbands	les brassards
armchair	le fauteuil
August	août
aunt	la tante
autumn	l'automne

B

back	le dos
bakery	la boulangerie
ball	le ballon
banana	la banane
barn	la grange
baseball	le baseball
basketball	le basket
bath	la baignoire
bathroom	la salle de bains
beach	la plage
beach umbrella	le parasol
beach bag	le sac de plage
beanbag	le pouf
bear	l'ours
bed	le lit
bedroom	la chambre
beetle	le scarabée
bench	le banc
bicycle	le vélo
big	grand/grande
bin	la poubelle
bird	l'oiseau
birthday cake	le gâteau d'anniversaire
biscuit	le biscuit
black	noir/noire
blue	bleu/bleue
boat	le bateau
body	le corps
book	le livre
boy	le garçon
bridge	le pont
broccoli	le brocoli
brother	le frère

brown	marron
bucket	le seau
bus	le bus
butcher	la boucherie
butter	le beurre

C

car	la voiture
car park	le parking
carrot	la carotte
castle	le château
cat	le chat
caterpillar	la chenille
ceiling	le plafond
celery	le céleri
chair	la chaise
cheese	le fromage
cheesemonger	la fromagerie
chest	la poitrine
chest of drawers	la commode
chicken	la poule
chimney	la cheminée
chocolate	le chocolat
church	l'église
cinema	le cinéma
circle	le cercle
classroom	la salle de classe
clean	propre
climb	grimper
climbing frame	la structure à grimper
clock	la pendule
clothes	les vêtements
cloud	le nuage
coat	le manteau
coffee	le café
cold	froid
colouring pencil	le crayon de couleur
colours	les couleurs
comic	la bande dessinée
computer	l'ordinateur
coral	le corail
costume	le costume
courgette	la courgette
cousins	les cousins/les cousines
cow	la vache
crab	le crabe
crocodile	le crocodile

D

cup of tea	la tasse de thé
cupboard	le placard
curly	bouclé/bouclée
curtains	les rideaux
cushion	le coussin
dance	danser
December	décembre
deer	le cerf
desk	le bureau
dirty	sale
diver	le plongeur/la plongeuse
diving board	le plongeoir
dog	le chien
doll	la poupée
dolphin	le dauphin
donkey	l'âne
door	la porte
dragon	le dragon
dress	la robe
duck	le canard

E

ear	l'oreille
eggs	les œufs
eight	huit
eighteen	dix-huit
elbow	le coude
elephant	l'éléphant
eleven	onze
eyes	les yeux

F

face	le visage
fairy	la fée
family	la famille
farm	la ferme
farm animals	les animaux de ferme
farmer	le fermier/la fermière
fast	rapide
father	le père
February	février
fence	la clôture
field	le champ
fifteen	quinze
finger	le doigt
fire engine	le camion de pompiers
fish	le poisson
fishmonger	la poissonnerie
five	cinq

English	French
floor	le plancher
flower	la fleur
fog	le brouillard
foot	le pied
football	le football
fork	la fourchette
four	quatre
fourteen	quatorze
fox	le renard
fridge	le frigo
fruit	les fruits
G games console	la console
garage	le garage
garden	le jardin
gazelle	la gazelle
giraffe	la girafe
girl	la fille
glue	la colle
goat	la chèvre
grandfather	le grand-père
grandmother	la grand-mère
grapes	le raisin
grass	l'herbe
green	vert/verte
green beans	les haricots verts
gymnastics	la gymnastique
H hair	les cheveux
hand	la main
hat	le chapeau
hay	le foin
head	la tête
heavy	lourd/lourde
hedge	la haie
hedgehog	le hérisson
henhouse	le poulailler
hexagon	l'hexagone
high up	en haut
hippopotamus	l'hippopotame
horse	le cheval
hose pipe	le tuyau d'arrosage
hospital	l'hôpital
hot	chaud
house	la maison
hug	serrer dans ses bras
I ice cream	la glace
ice lolly	la glace à l'eau
inside	l'intérieur
J January	janvier

English	French
July	juillet
June	juin
jump	sauter
K kitchen	la cuisine
kite	le cerf-volant
knees	les genoux
knife	le couteau
knight	le chevalier
L ladder	l'échelle
lake	le lac
leg	la jambe
lemonade	la limonade
lettuce	la laitue
librarian	le bibliothécaire/ la bibliothécaire
library	la bibliothèque
lifeguard	le maître-nageur
light	léger/légère
lighthouse	le phare
lion	le lion
lips	les lèvres
listen!	écoutez !
living room	le salon
lobster	le homard
long	long/longue
look!	regardez !
low down	en bas
M March	mars
May	mai
meat	la viande
mermaid	la sirène
messy	en désordre
milk	le lait
milkshake	le milkshake
mirror	le miroir
money	l'argent
month	le mois
mosque	la mosquée
mother	la mère
motorbike	la moto
mouse	la souris
mouth	la bouche
N nest	le nid
nine	neuf
nineteen	dix-neuf
nose	le nez
notebook	le cahier
November	novembre
numbers	les nombres

English	French
O October	octobre
octopus	la pieuvre
old	vieux/vieille
on top of	sur
once upon a time	il était une fois
one	un
opposites	les contraires
orange (colour)	orange
orange (fruit)	l'orange
outside	l'extérieur
oval	l'ovale
oven	le four
owl	le hibou
P paddling pool	la pataugeoire
paints	la peinture
paper	le papier
park	le parc
party	la fête
pasta	les pâtes
path	le chemin
peach	la pêche
pear	la poire
pen	le stylo
pencil case	la trousse
pentagon	le pentagone
picture book	l'album illustré
pig	le cochon
pirate	le pirate
pizza	la pizza
playground	le terrain de jeu
police car	la voiture de police
post office	la poste
poster	le poster
potato	la pomme de terre
princess	la princesse
pull	tirer
purple	violet/violette
push	pousser
pyjamas	le pyjama
R rabbit	le lapin
rain	la pluie
raspberry	la framboise
rectangle	le rectangle
red	rouge
red (hair)	roux
rhinoceros	le rhinocéros
rhombus	le losange

English to French

rice	le riz	skip	sauter à la corde	ten	dix
river	la rivière	skirt	la jupe	tennis	le tennis
rock	le rocher	sky	le ciel	thirteen	treize
roof	le toit	slide	le toboggan	three	trois
roundabout	le tourniquet	slow	lent/lente	throw	lancer
rug	le tapis	small	petit/petite	tidy	bien rangé/ rangée
rugby	le rugby	snake	le serpent		
ruler	la règle	snow	la neige	till	la caisse
run	courir	soap	le savon	toes	les orteils
running	la course à pied	socks	les chaussettes	toilet	les toilettes
S sand	le sable	sofa	le canapé	tomato	la tomate
sand castle	le château de sable	spade	la pelle	toothbrush	la brosse à dents
		spoon	la cuillère	toothpaste	le dentifrice
sand pit	le bac à sable	sport	le sport	towel	la serviette
sandwich	le sandwich	spring	le printemps	town	la ville
sausages	les saucisses	square	le carré	town hall	la mairie
scarecrow	l'épouvantail	squirrel	l'écureuil	tractor	le tracteur
scissors	les ciseaux	stairs	l'escalier	train	le train
sea	la mer	straight	raide	train station	la gare
seagull	la mouette	swim	nager	tree	l'arbre
seashell	le coquillage	star	l'étoile	triangle	le triangle
season	la saison	stories	les histoires	trousers	le pantalon
seaweed	les algues	storm	la tempête	twelve	douze
see-saw	la balançoire à bascule	storytime	l'heure des histoires	twenty	vingt
		strawberry	la fraise	two	deux
September	septembre	summer	l'été	U uncle	l'oncle
seven	sept	sun	le soleil	under	sous
seventeen	dix-sept	suncream	la crème solaire	unicorn	la licorne
shampoo	le shampooing	supermarket	le supermarché	V vegetables	les légumes
shapes	les formes	surfboard	la planche de surf	vehicles	les véhicules
shark	le requin			W wardrobe	l'armoire
sheep	le mouton	swan	le cygne	wave	la vague
shelf	l'étagère	sweetcorn	le maïs	whale	la baleine
shipwreck	le naufrage	sweets	les bonbons	white	blanc/blanche
shirt	la chemise	swimming	la natation	whiteboard	le tableau blanc
shoes	les chaussures	swimming cap	le bonnet de bain	wind	le vent
shopping	les courses	swimming costume	le maillot de bain	window	la fenêtre
shopping bag	le sac à provisions	swimming goggles	les lunettes de natation	winter	l'hiver
shopping basket	le panier	swimming pool	la piscine	witch	la sorcière
shopping trolley	le chariot	swing	la balançoire	worm	le ver de terre
short	court/courte	synagogue	la synagogue	Y year	l'année
shoulder	l'épaule	T taxi	le taxi	yellow	jaune
shower	la douche	teacher	le maître/la maîtresse	yoghurt	le yaourt
sink	l'évier/le lavabo			young	jeune
sister	la sœur	teddy bear	l'ours en peluche	Z zoo	le zoo
six	six	telephone	le téléphone		
sixteen	seize	television	la télévision		
skateboard	le skate				

A
l'abricot	apricot
l'album illustré	picture book
les algues	seaweed
l'alphabet	alphabet
l'ambulance	ambulance
l'âne	donkey
les animaux de ferme	farm animals
l'année	year
août	August
l'arbre	tree
l'argent	money
l'armoire	wardrobe
l'automne	autumn
l'avion	aeroplane
avril	April

B
le bac à sable	sand pit
la baignoire	bath
la balançoire	swing
la balançoire à bascule	see-saw
la baleine	whale
le ballon	ball
la banane	banana
le banc	bench
la bande dessinée	comic
le baseball	baseball
le basket	basketball
le bateau	boat
le beurre	butter
le bibliothécaire/ la bibliothécaire	librarian
la bibliothèque	library
bien rangé/ rangée	tidy
le biscuit	biscuit
blanc/blanche	white
bleu/bleue	blue
les bonbons	sweets
le bonnet de bain	swimming cap
la bouche	mouth
la boucherie	butcher
bouclé/bouclée	curly
la boulangerie	bakery
le bras	arm
les brassards	armbands
le brocoli	broccoli
la brosse à dents	toothbrush

le brouillard	fog
le bureau	desk
le bus	bus

C
le café	coffee
le cahier	notebook
la caisse	till
le camion de pompiers	fire engine
le canapé	sofa
le canard	duck
la carotte	carrot
le carré	square
le céleri	celery
le cercle	circle
le cerf	deer
le cerf-volant	kite
la chaise	chair
la chambre	bedroom
le champ	field
le chapeau	hat
le chariot	shopping trolley
le chat	cat
le château	castle
le château de sable	sand castle
chaud	hot
les chaussettes	socks
les chaussures	shoes
le chemin	path
la cheminée	chimney
la chemise	shirt
la chenille	caterpillar
le cheval	horse
le chevalier	knight
les cheveux	hair
la chèvre	goat
le chien	dog
le chocolat	chocolate
le ciel	sky
le ciné	cinema
cinq	five
les ciseaux	scissors
la clôture	fence
le cochon	pig
la colle	glue
la commode	chest of drawers
la console	games console
les contraires	opposites
le coquillage	seashell

le corail	coral
le corps	body
le costume	costume
le coude	elbow
les couleurs	colours
la courgette	courgette
courir	run
la course à pied	running
les courses	shopping
court/courte	short
les cousins/les cousines	cousins
le coussin	cushion
le couteau	knife
le crabe	crab
le crayon de couleur	colouring pencil
la crème solaire	sun cream
le crocodile	crocodile
la cuillère	spoon
la cuisine	kitchen
le cygne	swan

D
danser	dance
le dauphin	dolphin
décembre	December
le dentifrice	toothpaste
deux	two
dix	ten
dix-huit	eighteen
dix-neuf	nineteen
dix-sept	seventeen
le doigt	finger
le dos	back
la douche	shower
douze	twelve
le dragon	dragon

E
l'échelle	ladder
écoutez !	listen!
l'écureuil	squirrel
l'église	church
l'éléphant	elephant
en bas	low down
en désordre	messy
en haut	high up
l'épaule	shoulder
l'épouvantail	scarecrow
l'escalier	stairs
l'étagère	shelf
l'été	summer

French to English

F	
l'étoile	star
l'évier	sink
l'extérieur	outside
la famille	family
le fauteuil	armchair
la fée	fairy
la fenêtre	window
la ferme	farm
le fermier/la fermière	farmer
la fête	party
février	February
la fille	girl
la fleur	flower
le foin	hay
le football	football
les formes	shapes
le four	oven
la fourchette	fork
la fraise	strawberry
la framboise	raspberry
le frère	brother
le frigo	fridge
froid	cold
le fromage	cheese
la fromagerie	cheesemonger
les fruits	fruit
G le garage	garage
le garçon	boy
la gare	train station
le gâteau d'anniversaire	birthday cake
la gazelle	gazelle
les genoux	knees
la girafe	giraffe
la glace	ice cream
la glace à l'eau	ice lolly
grand/grande	big
le grand-père	grandfather
la grand-mère	grandmother
la grange	barn
grimper	climb
la gymnastique	gymnastics
H la haie	hedge
les haricots verts	green beans
l'herbe	grass
le hérisson	hedgehog
l'heure des histoires	storytime
l'hexagone	hexagon
le hibou	owl
l'hippopotame	hippopotamus
les histoires	stories
l'hiver	winter
le homard	lobster
l'hôpital	hospital
huit	eight
I il était une fois	once upon a time
l'intérieur	inside
J la jambe	leg
janvier	January
juillet	July
juin	June
le jardin	garden
jaune	yellow
jeune	young
la jupe	skirt
L le lac	lake
le lait	milk
la laitue	lettuce
lancer	throw
le lapin	rabbit
le lavabo	sink
léger/légère	light
les légumes	vegetables
lent/lente	slow
les lèvres	lips
la licorne	unicorn
la limonade	lemonade
le lion	lion
le lit	bed
le livre	book
long/longue	long
le losange	rhombus
lourd/lourde	heavy
les lunettes de natation	swimming goggles
M mai	May
le maillot de bain	swimming costume
la main	hand
la mairie	town hall
le maïs	sweetcorn
la maison	house
le maître-nageur	lifeguard
le maître/la maîtresse	teacher
le manteau	coat
marron	brown
mars	March
la mer	sea
la mère	mother
le milkshake	milkshake
le miroir	mirror
le mois	month
la mosquée	mosque
la moto	motorbike
la mouette	seagull
le mouton	sheep
N nager	swim
la natation	swimming
le naufrage	shipwreck
la neige	snow
neuf	nine
le nez	nose
le nid	nest
noir/noire	black
les nombres	numbers
novembre	November
le nuage	cloud
O octobre	October
les œufs	eggs
l'oiseau	bird
l'oncle	uncle
onze	eleven
l'orange	orange (fruit)
orange	orange (colour)
l'ordinateur	computer
les oreilles	ears
les orteils	toes
l'ours	bear
l'ours en peluche	teddy bear
l'ovale	oval
P le panier	shopping basket
le pantalon	trousers
le papier	paper
le parasol	beach umbrella
le parc	park
le parking	car park
la pataugeoire	paddling pool
les pâtes	pasta
la pêche	peach
la peintures	paints
la pelle	spade
la pendule	clock
le pentagone	pentagon
petit/petite	small
le père	father

French	English
le phare	lighthouse
le pied	foot
la pieuvre	octopus
le pirate	pirate
la piscine	swimming pool
la pizza	pizza
le placard	cupboard
le plafond	ceiling
la plage	beach
la planche de surf	surfboard
le plancher	floor
le plongeoir	diving board
le plongeur/la plongeuse	diver
la pluie	rain
la poire	pear
le poisson	fish
la poissonnerie	fishmonger
la poitrine	chest
la pomme	apple
la pomme de terre	potato
le pommier	apple tree
le pont	bridge
la porte	door
la poste	post office
le poster	poster
la poubelle	bin
le pouf	beanbag
le poulailler	henhouse
la poule	chicken
la poupée	doll
pousser	push
la princesse	princess
le printemps	spring
propre	clean
le pyjama	pyjamas
quatorze	fourteen
quatre	four
quinze	fifteen
raide	straight
le raisin	grapes
rapide	fast
le rectangle	rectangle
regardez !	look!
la règle	ruler
le renard	fox
le requin	shark
le réveil	alarm clock
le rhinocéros	rhinoceros
les rideaux	curtains
la rivière	river
le riz	rice
la robe	dress
le rocher	rock
rouge	red
roux	red (hair)
le rugby	rugby
le sable	sand
le sac de plage	beach bag
le sac à provisions	shopping bag
la saison	season
sale	dirty
la salle de bains	bathroom
la salle de classe	classroom
le salon	living room
le sandwich	sandwich
les saucisses	sausages
sauter	jump
sauter à la corde	skip
le savon	soap
le scarabée	beetle
le seau	bucket
seize	sixteen
sept	seven
septembre	September
le serpent	snake
serrer dans ses bras	hug
la serviette	towel
le shampooing	shampoo
la sirène	mermaid
six	six
le skate	skateboard
la sœur	sister
le soleil	sun
la sorcière	witch
la souris	mouse
sous	under
le sport	sport
la structure à grimper	climbing frame
le stylo	pen
le supermarché	supermarket
la synagogue	synagogue
le tableau blanc	whiteboard
la tante	aunt
le tapis	rug
la tasse de thé	cup of tea
le taxi	taxi
le téléphone	telephone
la télévision	television
la tempête	storm
le tennis	tennis
le terrain de jeu	playground
la tête	head
tirer	pull
le toboggan	slide
les toilettes	toilet
le toit	roof
la tomate	tomato
le tourniquet	roundabout
le tracteur	tractor
le train	train
treize	thirteen
le triangle	triangle
trois	three
la trousse	pencil case
le tuyau d'arrosage	hose pipe
un	one
la vache	cow
la vague	wave
les véhicules	vehicles
le vélo	bicycle
le vent	wind
le ver de terre	worm
vert/verte	green
les vêtements	clothes
la viande	meat
vieux/vieille	old
la ville	town
vingt	twenty
violet/violette	purple
le visage	face
la voiture	car
la voiture de police	police car
le yaourt	yoghurt
les yeux	eyes
le zoo	zoo

written by Sam Hutchinson

illustrated by Kim Hankinson

French adviser: Marie-Thérèse Bougard

Published by b small publishing ltd.

www.bsmall.co.uk

Text & Illustrations copyright © b small publishing ltd. 2018

1 2 3 4 5

ISBN 978-1-911509-78-3

Design: Kim Hankinson   Editorial: Emilie Martin & Rachel Thorpe   Production: Madeleine Ehm

Publisher: Sam Hutchinson

Printed in China by WKT Co. Ltd.